Thomas Lavachery

Tor et les gnomes

Illustrations de l'auteur

l'école des loisirs

11, rue de Sèvres, Paris 6ᵉ

Du même auteur à *l'école des loisirs*

Collection MOUCHE

Trois histoires de Jojo de la Jungle

ISBN 978-2-211-22946-3

© 2017, l'école des loisirs, Paris, pour la présente édition
dans la collection «Animax»
© 2015, l'école des loisirs, Paris
Loi n° 49.956 du 16 juillet 1949 sur les publications
destinées à la jeunesse : mars 2015
Dépôt légal : mars 2017
Imprimé en France par Clerc à Saint-Amand-Montrond

Édition spéciale non commercialisée en librairie

Pour mon filleul Hugo

Roumbouli, roumboula !

Ce dimanche, avec mon père et oncle Einar, nous pêchons à l'ombre d'un grand pin. Une heure passe, puis une autre. Les poissons ne veulent pas mordre. Papa et Einar se regardent du coin de l'œil, et la fumée qui sort de leur pipe devient de plus en plus grise.

    — Cul d'ours ! jure papa.

    — Trogndjûû ! grogne oncle Einar.

De retour à la maison, le soir, nous sommes déçus, tellement déprimés que nous en avons perdu l'appétit. Maman s'inquiète pour nous. Elle va chercher ses marionnettes et nous fait un petit spectacle, histoire de nous changer les idées.

La pièce met en scène le Loup et la Fermière, qui se disputent un pot de sucre. Maman est très douée, ses personnages ont l'air vivants. C'est

vraiment gentil à elle d'essayer de nous distraire, mais elle n'y parvient pas.

Pendant qu'elle range ses marionnettes, papa avale de longues gorgées de bière au miel.

— Il n'y a qu'une explication, déclare-t-il en se levant de son siège, comme poussé par un ressort. J'ai beau retourner les choses dans ma tête…

Il se caresse la barbe avec lenteur.

— Oui, oui. Je ne vois que cela. Il y a un farfajoll dans le lac !

— Un quoi ? dis-je, intrigué.

— Un farfajoll. C'est un gnome des lacs et des rivières qui s'amuse à empêcher les poissons de mordre à l'hameçon.

— Que… qu'est-ce qu'on peut faire ?

— On va s'en débarrasser, répond papa en serrant les poings.

Le lendemain, papa et oncle Einar partent à l'aube dans la montagne. Ils reviennent à midi avec un petit sac rempli de ces trèfles noirs dont on fait les drogues endormantes. Notre voisin Glamr, le guérisseur, en donne à ses patients avant de leur arracher une dent.

Papa malaxe les trèfles, il les jette dans une mixture composée d'huile de phoque, de miel et de vieux beurre. Le mélange est mis à cuire le reste de la journée et durant la nuit.

Au matin, la casserole de maman contient une sorte de mélasse qui sent plutôt bon. Papa la verse dans une bouteille que nous emportons au lac avec nos cannes à pêche, une épuisette et un fusil.

C'est un jour superbe, le soleil lance ses rayons obliques et les oiseaux chantent à tous les étages des arbres. Oncle Einar jette sa ligne en premier, joliment : fzzzzzzz !

Papa se penche vers moi.

– On va pêcher comme si de rien n'était, dit-il. Le farfajoll va venir pour faire fuir les poissons, et alors…

– Et alors ?

– Tu verras.

Aucun de nous n'a la moindre

touche. Après un temps qui me paraît interminable, papa et Einar se regardent d'un air entendu. L'un prend la bouteille de mélasse, l'autre se saisit du fusil. Je me demande vraiment ce qui va se passer.

— À toi de jouer, trèfle noir, murmure papa. Roumbouli roumboula, fais ton œuvre et voilà !

Il lance la bouteille en l'air, très haut. Einar vise avec soin et tire — PANG ! —, faisant exploser le verre. Une pluie d'éclats tombe dans le lac, et l'eau se teinte de noir, un peu comme si une créature du fond avait agité la vase.

Les oiseaux ne chantent plus. Oncle Einar allume la pipe de papa, papa allume le tabac d'Einar, c'est leur façon à eux de se féliciter mutuellement.

Bientôt, les poissons commencent à remonter à la surface, le ventre en l'air. Ils sont drogués. Je prends l'épuisette pour en attraper un gros qui dérive dans notre direction, mais papa m'arrête d'un geste.

— On n'est pas là pour ça, rappelle-t-il.

Je me rassieds. L'attente ne dure pas longtemps.

— Le v'là ! s'exclame papa en tendant le bras.

Il ramasse l'épuisette, entre dans l'eau jusqu'à la taille afin d'attraper notre ennemi. D'où je suis, je ne vois pas grand-chose : les larges épaules de papa me bouchent la vue.

— Tu l'as ? demande Einar.

— Presque.

J'entends les battements de mon cœur. Je ne crains pas d'affirmer que, de ma vie, je n'ai éprouvé une telle curiosité.

Papa revient enfin sur le bord. Il retourne son filet pour laisser tomber sa capture sur le tapis de mousse. Je m'approche alors pour mieux contempler le farfajoll.

Blanc comme un navet, il a la taille d'une main d'homme. Ses grands yeux aux paupières diaphanes occupent toute la place dans son visage luisant, percé d'une petite bouche ronde. Il a une crête, des branchies argentées, comme les truites de chez nous, et plusieurs

nageoires. Ses bras et ses jambes, minces comme des fils, se terminent par des mains et des pieds palmés. Sa peau est parsemée de points brillants qui ressemblent à des paillettes, elle est si fine que l'on voit les milliers de petites veines bleues au travers. Contrairement aux poissons, le farfajoll a un nombril.

— Regarde-le bien, Tor, me lance papa en riant. Tu n'en verras pas souvent !

— Trogndjûû, qu'il est vilain ! s'exclame oncle Einar.

Une remarque qui m'étonne car, pour ma part, je ne le trouve ni beau ni laid, ce farfajoll. Il est seulement extraordinaire.

Les gens de mon pays détestent les farfajolls et tous les démons qui existent sur la terre et dans les eaux. « Les gnomes sont les enfants du diable », disent-ils. Et j'ai souvent entendu cette phrase terrible : « Un bon gnome est un gnome mort. »

Apprenant que nous avons pêché un farfajoll, nos voisins accourent pour le voir. Oncle Einar dépose le petit corps sur une pierre ancienne dressée au milieu de la place du village.

– Est-ce qu'il est vivant ? demande Glamr, le guérisseur.

– Oui, répond papa. Mais pas pour longtemps. Il est en train de sécher à vue d'œil.

– Ces petits monstres ne respirent bien que dans l'eau, marmonne le vieux Viktor, appuyé sur sa canne.

Et en effet, le farfajoll, la bouche grande ouverte, agite ses branchies comme un malheureux.

La femme du forgeron se penche sur lui.

— Maudit sois-tu, gnome ! crie-t-elle. Sale engeance ! Crapule !

À partir de cet instant, tout le monde s'y met. Papa, oncle Einar, Glamr, le vieux Viktor… ils insultent le farfajoll en train d'étouffer sur sa pierre. Ils lui montrent le poing en grimaçant, tellement furieux qu'ils me font peur.

Pauvre farfajoll ! Il semble que je suis le seul à avoir pitié de lui.

Lorsque l'épouse du forgeron, les cheveux défaits, crache sur le gnome, je détourne le regard et m'enfuis.

Un chatouillis dans la main

Je vois la lune, ronde et brillante, dans l'encadrement de ma fenêtre. Papa ronfle comme un ours et maman dort sans bruit. Je m'habille et sors sur la pointe des pieds, tenant mes sabots à la main.

Rien ne bouge dans le village. En passant près de la maison de Viktor, j'entends sa voix grinçante. Le vieux parle dans son sommeil.

– Pauvre crétin ! glapit-il.

– Toi-même, dis-je à voix basse.

Je me mets à marcher plus vite. Arrivé sur la place, je regarde du côté de l'ancienne pierre. Le farfajoll est toujours là. Je m'approche en retenant mon souffle.

Le gnome ressemble maintenant à une vieille racine. Je cours au puits tirer de l'eau que je m'empresse de verser sur son corps. Celui-ci s'amollit aussitôt. Mais les branchies ne bougent plus, et la bouche minuscule reste fermée.

« Il est mort et bien mort, me dis-je. Il fallait s'y attendre. »

Je suis sur le point de retourner me coucher lorsqu'une petite voix parle en moi pour me faire changer d'avis. J'emballe le farfajoll dans un mouchoir mouillé, et je l'emporte en le serrant contre ma poitrine.

L'air tiède et parfumé de la nuit caresse mes joues en feu. Je dévale à toute allure le sentier qui mène au lac. Sur le rivage, je m'agenouille afin de plonger le farfajoll dans l'eau.

Hououou-houou ! hulule un hibou.

Le gnome flotte entre mes mains. Tout près de nous, le ventre d'un poisson mort fait une tache claire dans l'obscurité.

À présent, le farfajoll est rempli d'eau. Si je ne le maintenais pas en surface, il coulerait à pic. Je le déplace comme un jouet tout en priant pour qu'il revienne à la vie.

– Réveille-toi, gnome. Respire, je t'en prie !

J'ai l'impression de remuer une chaussette. Tout espoir semble perdu. C'est alors que je sens un chatouillis au creux de la main. Le farfajoll agite les nageoires. Sans attendre, je le lâche en lui donnant une impulsion, comme si je lançais un petit bateau.

Il flotte un peu… puis s'enfonce telle une pierre.

– Malheur ! dis-je en sautant à l'eau.

Je le récupère de justesse et le porte au ras de l'eau, à la façon d'un père qui apprend à nager à son enfant. Cela dure des heures.

Soudain, aux premiers rayons du soleil, le farfajoll se tortille avec énergie. J'ose le lâcher pour la deuxième fois, et il file comme une flèche !

— Au revoir !

Il a disparu. Je le crois, du moins, jusqu'à ce qu'une petite tête blanche émerge du lac, créant de jolis ronds dans l'eau.

Les yeux pâles du gnome me contemplent une pleine seconde, et mon cœur s'arrête de battre.

— Je m'appelle Tor, dis-je. J'habite là-haut, à Borgisvik…

Effrayé par le son de ma voix, le farfajoll plonge, cette fois pour de bon. Il est retourné chez lui, dans les profondeurs du lac.

Je suis très fatigué, et j'ai mal aux muscles à force d'être resté long-temps dans la même position. Mais il n'est pas question de dormir. Je prends le poisson mort et je l'ouvre dans l'herbe, à l'aide de mon couteau de pêcheur. Je parviens à extraire le squelette du poisson, que je découpe en plusieurs parties. Ensuite, il me faut assembler les morceaux de manière à fabriquer un faux sque-lette de farfajoll.

Je suis habile de mes doigts et,

sans me vanter, je peux être fier de mon œuvre. J'ai réussi à sculpter une espèce de petit crâne, auquel j'ai fixé une colonne vertébrale hérissée de côtes, un bassin étroit et des membres. Pour les os des mains et des pieds, j'ai utilisé les plus fines arêtes du poisson.

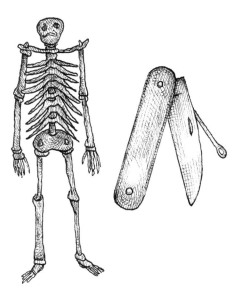

Il ne me reste plus qu'à rentrer au village et à déposer mon faux squelette au milieu de la place.

La mémoire des truites

Le lendemain matin, je me lève à l'heure habituelle afin de ne pas éveiller les soupçons. Papa, maman et oncle Einar mangent leur gruau en silence, dans une atmosphère inhabituelle. Personne ne parle, chacun garde le nez dans son bol.

Seule maman répond à mon bonjour. Je me demande ce qui se passe.

J'arrose de lait mon gruau et m'apprête à entamer mon petit déjeuner, quand le vieux Viktor entre chez nous sans frapper. Il annonce que le farfajoll a fondu.

— Il ne reste que son squelette. Pouvez-vous croire cela ? Son squelette et rien d'autre !

— Que personne n'y touche, grogne papa. Nous arrivons.

Il vide son bol d'un trait et quitte la table, suivi d'Einar. Je regarde maman.

— Va, me dit-elle dans un sourire.

La moitié du village se trouve rassemblée autour de l'ancienne pierre. Tout le monde a le même air bizarre, le même regard fuyant.

Je pense qu'ils sont gênés de s'être montrés si sauvages et grossiers, hier. Peut-être même regrettent-ils leur cruauté envers le farfajoll.

Avec précaution, papa dépose le squelette sur un morceau de linge étalé sur la pierre. Il rabat les pans du tissu afin de faire un paquet qu'il soulève entre ses mains puissantes, les plus grandes mains du pays.

Mon père et oncle Einar se dirigent vers la sortie du village, je leur emboîte le pas, ainsi que le vieux Viktor, Glamr et les autres.

C'est Einar qui creuse la tombe à deux cents pas des maisons, pas loin de l'étang aux grenouilles. Mon petit squelette y est déposé. Papa rebouche le trou en poussant la terre du bout

de sa botte, puis chacun rentre chez soi.

Deux jours plus tard, nous sommes de retour au lac. Le poisson continue à ignorer nos appâts, et j'ai très peur que papa et Einar ne se doutent de quelque chose ou qu'ils s'imaginent qu'il y a un second farfajoll. Je les vois déjà jetant dans l'eau une autre bouteille de mélasse endormante.

Par bonheur, ils n'y songent pas.

— Il faudra attendre un moment avant que les poissons oublient ce que leur a enseigné le farfajoll.

— Tu as raison, Einar, approuve papa. Ils sont devenus prudents, hantés par la peur de l'hameçon. Et ça risque de durer un bout de temps, car on dit que les truites ont la mémoire longue.

Ils ramassent le matériel et nous rentrons à la maison.

Le charmeur de guêpes

L'année suivante, à la même époque, je viens d'avoir neuf ans. Le farfajoll n'est plus pour moi qu'un lointain souvenir. Je grimpe les pentes de la montagne avec maman, dans le soleil du matin. Nous allons cueillir des plantes à tisane et des baies.

Je suis heureux au point que mes pieds touchent à peine le sol. Anja, ma mère, est ravissante. Elle porte

une robe de lin rouge décorée de rubans et de perles de nacre. Nous allons main dans la main, tels des amoureux, riant pour des bêtises.

Nous nous retournons tous les cent pas afin de regarder la vallée, les toits clairs des maisons de notre village aimé. Les aboiements de Scalde, le chien borgne, nous parviennent de loin.

Nous faisons halte sur un plateau où poussent quelques bouleaux et des fleurs. Maman, assise dans l'herbe, découvre ses jambes pour les dorer au soleil. Je la laisse se reposer et pars à la recherche de mûres.

Sous les arbres, l'herbe devient plus rare et je foule une terre nue, sèche par endroits. Sans y prendre garde, je pose le pied sur un nid enterré. Des guêpes furieuses surgissent par la fissure que j'ai agrandie.

Je prends mes jambes à mon cou.

Là-bas dans l'herbe, maman n'a pas bougé. Elle me tourne le dos, ignorante du danger que je cours. Je me mets à crier.

Je zigzague entre les troncs, sans savoir où je vais. Le bourdonnement des guêpes se rapproche, je vais être rattrapé, attaqué par un essaim entier.

Une guêpe se pose sur ma tête et me pique à travers l'épaisseur de mes cheveux.

– Aïe !

Juste après, une piqûre au mollet me fait hurler. Je trébuche… avant de m'étaler de tout mon long. Je me mets en boule comme un hérisson, attendant d'être recouvert par mes ennemies. Je m'imagine boursouflé, méconnaissable. Je vais faire un horrible cadavre.

J'attends toujours, et il ne se passe rien. Je relève la tête avec prudence. Maman arrive à ce moment, hors d'haleine. Me voyant indemne, elle pousse un cri de soulagement.

À quelques pas de nous, dans les airs, les guêpes forment une boule immobile et noire. Un gnome les tient en respect grâce à la musique de sa flûte minuscule. Il semble les avoir hypnotisées !

Les guêpes s'en vont maintenant au ralenti, tel un nuage poussé par un vent faible. Quand elles ont déguerpi, mon sauveur s'assied par terre, les jambes croisées. Il ouvre un sachet contenant de la mie de pain et une châtaigne, et il commence à casser la croûte sans se préoccuper de notre présence.

Maman vient m'aider à me relever. Comme elle examine mes bras nus, le gnome fait entendre sa voix :

— Il n'a rien, va. Deux piqûrettes et c'est tout. Il survivra !

Ayant déjà fini son repas, il se dresse, bien droit sur ses jambes minces. Il est haut comme deux pommes. Son visage ridé, très pâle, se couvre d'une barbe soyeuse.

Ce gnome-là n'est pas nu comme le farfajoll : il porte une culotte, un gilet brodé et un chapeau sans bords.

— On m'a toujours dit que les gnomes montagnards sont méchants, sournois, avoue maman.

— Et c'est la vérité, confirme mon sauveur, qui range sa flûte dans un étui de cuir. La pure vérité ! Nous adorons jouer des tours et faire le mal, hu ! hu ! Nous passons notre temps à exaspérer les hommes… sauf s'ils sont nos amis.

— Serions-nous vos amis ?

— Toi non, femme. Mais ton fils, Tor de Borgisvik, est un grand ami du peuple gnome. Moi et mes frères de l'eau, des grottes, des volcans, des forêts, des prairies… nous l'aimons !

— Pourquoi en est-il ainsi ? interroge maman.

— Demande-le-lui !

Le gnome agite la main pour appeler un corbeau. L'oiseau a à peine touché le sol que mon sauveur se propulse sur son dos, hop ! telle une sauterelle.

— Adieu, bel enfant, brave cœur ! lance-t-il. Adieu, Tor de Borgisvik !

Le corbeau s'envole l'instant
d'après. Il s'élève très haut dans le ciel
d'azur avant de filer vers les sommets
à la vitesse d'un météore.

Maman se tourne vers moi.

– Qu'est-ce donc que cette histoire ? demande-t-elle. Pourquoi les gnomes t'apprécient-ils ?

– J'ai sauvé l'un des leurs, dis-je.

– Le farfajoll ! devine maman.

– Oui. Il n'était pas mort et je suis allé le remettre à l'eau.

– Pendant la nuit ?

– Pendant la nuit.

– Et le petit squelette, où l'as-tu trouvé ?

– Je l'ai fabriqué avec celui d'un poisson.

– Je vois.

Ma mère ramasse différentes herbes qu'elle broie entre ses doigts pour en extraire le jus. Je penche la tête en lui indiquant l'endroit de la première piqûre.

– Ne faut-il pas ôter le dard ?
dis-je, alors qu'elle applique le jus
d'herbe sur mon crâne.

– Depuis quand les guêpes lais-
sent-elles leur dard ? Tu confonds
avec…

– Avec les abeilles, bien sûr !

Deux fous sur un toit

Nous avons fait une petite récolte de mûres et de plantes rares. Nous redescendons vers le village, marchant à trois pas l'un de l'autre. Maman ne cesse de me lancer des regards de biais.

— Mon fils, ami des gnomes ! s'émerveille-t-elle, rompant le silence.

— Je me demande comment le farfajoll a pu raconter aux autres ce que j'ai fait pour lui.

– Il paraît qu'une fois l'an, au printemps, les gnomes se réunissent au lac de l'Ours, là-bas, dans les terres vierges. Ils chantent et dansent durant six jours et six nuits.

– Je me demande comment le farfajoll a pu se rendre au lac de l'Ours. Il ne peut pas vivre hors de l'eau.

— Il paraît que tous les lacs du royaume sont reliés par des rivières souterraines.

Cette idée me plaît énormément. Je songe à ces routes sous-marines que les créatures de l'eau peuvent emprunter pour passer d'un lac à l'autre. J'imagine le farfajoll nageant

dans le noir, au milieu d'un banc de truites, je le vois s'accrochant à la queue d'un omble chevalier afin d'aller plus vite… Maman me tire de ma rêverie en me prenant la main.

Une cloche tinte, la chèvre du vieux Viktor surgit de derrière un arbre et vient à notre rencontre, barbiche au vent.

Midi est passé d'une heure quand nous rentrons à la maison. Nous trouvons papa et oncle Einar sur le toit, en train de remplacer les tuiles usées.

— Salut les amoureux ! dit Einar.

Papa et Einar sur le toit, cela vaut tous les spectacles ! Ils y montent dans l'intention de travailler, mais, pour je ne sais quelle raison, ils ne

tardent jamais à faire les fous. Le
simple fait de se retrouver en hauteur
les rend plus sots que s'ils avaient
bu des litres de bière. Ils se mettent
à imiter des bruits d'animaux, à

s'envoyer des tuiles à la tête, à jouer à saute-mouton sur l'arête du toit. En général, les villageois accourent pour en profiter, avec l'espoir secret d'assister à un accident.

En ce beau jour de septembre, c'est papa qui déclenche les sottises. Il crache un clou à la tête d'Einar, qui se venge en lui soufflant sa fumée de pipe au visage.

– Ça commence ! crie le vieux Viktor.

Les gens se pressent autour de notre maison alors que mon père, marchant sur les mains, chante la *Ballade du troll perdu* à l'envers :

,troll le, perdu s'est Il
.hommes des ville la Dans

casseroles les vide Il
.somme leur font gens les Quand

Il n'y a pas eu d'accident. Papa et Einar sont redescendus tranquillement par l'échelle, sous un tonnerre de bravos.

Après leurs exploits, ils sont allés faire la tournée des villages. On les accueille partout avec plaisir, car ils savent mettre la bonne ambiance, apportant avec eux les rires et les chansons.

Il est tard, déjà, et je les attends dehors, sur le banc que maman a repeint le jour de mon dernier anniversaire. Elle est partie se coucher en me disant de ne pas veiller trop tard.

– Bonne nuit, bel enfant, brave cœur ! m'a-t-elle lancé depuis son lit. À demain, Tor de Borgisvik !

Dans la nuit tiède, sous les étoiles innombrables, je guette le retour des deux fêtards, car j'ai décidé de tout leur dire.

Les heures me semblent des siècles, je finis par m'assoupir. Des pas et des voix étouffées me réveillent, et je sens l'odeur des pipes avant même d'ouvrir les yeux.

– Tiens, qui voilà ! dit oncle Einar en levant haut sa lanterne.

– Tu ne dors pas, toi ? s'étonne papa.

Approchant d'un pas tranquille et sûr (ils n'ont pas trop bu), ils me dévisagent dans la lumière jaune.

– Oh, oh! Je veux bien être pendu si Tor n'a pas quelque chose à nous dire! Regarde, Einar, ses joues sont toutes gonflées de l'histoire qu'il va nous raconter.

Papa pousse un tabouret vers moi, du bout du pied, tandis que mon oncle va chercher une chaise à l'intérieur. Bientôt, ils se tiennent face à moi, le regard brillant, prêts à m'écouter. Je prends une grande inspiration avant de me lancer.

– Cul d'ours! fait papa en apprenant que j'ai sauvé le farfajoll.

– Trogndjûû! s'exclame Einar en entendant que j'ai placé un faux squelette sur l'ancienne pierre.

Et lorsque je leur dis que maman et moi avons rencontré tout à l'heure un gnome montagnard, et que ce gnome m'a sauvé des guêpes furieuses, ils écarquillent les yeux. Je révèle alors le plus étonnant : ce que j'ai fait pour le farfajoll est connu de tous les gnomes du royaume, et ils m'en sont reconnaissants.

— Ceux de l'eau, des grottes, des volcans, des forêts, des prairies… ils m'aiment tous. Je suis leur ami !

Mon père et Einar en restent sans voix. Ces grands bavards ont le bec cloué, parole !

Je sens la fierté monter en moi. Pour la première fois de ma vie, j'ai réussi à les impressionner.

— Trogndjûû, lâche papa.

— Tu as utilisé mon juron, lui fait observer Einar.

– Tu n'as qu'à dire «Cul d'ours!»
et nous serons quittes.

– Cul d'ours!

Je leur pose alors cette question :

– Vous n'êtes pas fâchés pour le
farfajoll ?

En guise de réponse, ils me
serrent la main, d'abord papa, ensuite
Einar. Et ils vont se coucher sans me
dire d'en faire autant.

Ils doivent penser que je suis
maintenant assez grand pour choisir
mon heure.

Resté seul, je pense au lac de
l'Ours, le lieu du grand rendez-vous.
Et je me dis qu'un jour, au printemps, j'irai là-bas. Aucun être
humain n'a jamais assisté aux chants
et aux danses des gnomes.

Peut-être que moi, Tor de Borgisvik,
je serai le premier.

Gnome des eaux

Gnome des grottes

Gnome des montagnes

Gnome des volcans

Gnome des prairies

Gnome des rochers

Gnome des cheminées

Gnome
des forêts

Gnome des neiges

Gnome du littoral